Jana in

afgeschreven

Eddy C. Bertin
Jana in Gigantopolis

Tekeningen van
Walter Donker

Zwijsen

avi 6

Boeken met dit vignet zijn op niveaubepaling geregistreerd
en gecontroleerd door KPC Groep te ´s-Hertogenbosch.

1e druk 2005
ISBN 90.276.6029.8
NUR 282

© 2005 Tekst: Eddy C. Bertin
Illustraties: Walter Donker
Uitgeverij Zwijsen B.V., Tilburg

Voor België:
Zwijsen-Infoboek, Meerhout
D/2005/1919/169

STICHTING NEDERLANDSE
KINDERJURY
2006

Inhoud

Jana valt

Jana valt met een plof op de harde
straatstenen.
De adem wordt even uit haar longen geperst.
'Oef!' zegt Jana.
Ze drukt zich op met haar beide handen.
Sterretjes dansen vrolijk voor haar ogen.
Ze schudt haar hoofd om die sterretjes te
verjagen.
Dat was me wel een val, denkt ze.
Voorzichtig voelt ze aan haar gezicht.
Haar neus doet wat pijn, maar hij bloedt niet.
Gelukkig maar, zelfs geen schrammetje.
Het versufte gevoel trekt weg uit haar hoofd.
Jana kan weer helder denken.
Een val? denkt ze.
Welke val?
Ik ben helemaal niet gevallen.
Maar wat doe ik hier dan op de straatstenen?

Ze gaat rechtop zitten.
Ze ziet haar blauwwitte gympies.
Haar benen in een verkleurde, grijze
spijkerbroek.

Ja hoor, dat zijn die van mij, denkt ze.
Haar ene knie doet een beetje pijn.
Maar ze kan zonder moeite opstaan.
Dus niets is gekneusd of gebroken.
Ik moet gestruikeld zijn over een losse
steen in het park.
Park? Welk park?
Jana kijkt om zich heen.
Waar is het park gebleven?
Waar is de zon die daarnet haar gezicht nog
verwarmde?
Jana staat in het midden van een brede straat.
Die strekt zich uit zo ver ze kan zien, voor
en achter haar.
Links en rechts staan grauwe kantoren en
winkels.
Het schemert al en geen enkel raam is
verlicht.
Midden op straat blijven staan is niet veilig.
Jana slentert naar het trottoir en gaat
daar zitten.
Ze moet eerst even bijkomen.
'Ik denk dat ik droom,' zegt ze hardop.
Ze knippert een paar keer vlug met
haar ogen.
Het naargeestige straatbeeld verdwijnt niet.

Jana knijpt hard met haar scherpe nagels in
haar wang.
Dat doet even behoorlijk pijn.
Maar ze wordt er niet wakker van.
Ze staat op en loopt naar een groot, bestoft
winkelraam.
In de etalage staat één enkele vrouwenschoen
met hoge hak.
Geen prijskaartje bij de eenzame schoen.
Ook geen winkelnaam op de ruit.
In het doffe glas ziet ze zichzelf.
Een klein meisje met bange, groene ogen.
Bleek gezicht, kortgeknipt blond haar.
Twee zilveren oorknopjes, wit T-shirt.
Dat is wel degelijk Jana zelf.

'Ik ben Jana Doorhaag,' zegt ze hardop.
'Ik ben negen jaar.
Ik woon in de Herfstlaan 69.
Mijn ouders zijn Johan en Karien.
Wat doe ik hier?
Waar ben ik?'
Jana kent haar eigen kleine stad door
en door.
Ze heeft deze straat nog nooit gezien.
Nergens enige vrolijke kleur.

Alleen maar naargeestige gebouwen.
Verlaten kantoorblokken en dode warenhuizen.
Vreemd, ze zijn allemaal precies zeven hoog.
Alsof iemand met een heggenschaar alle daken gelijk gemaakt heeft.
Wat is er met mij gebeurd? vraagt Jana zich af.
Ik was op weg naar mijn vrienden, Jolien en Niels.
Ik liep door het stadspark.
Het was middag.
Het lijkt nu wel avond.
De zon scheen fel, het was warm.
En dan … niets meer.
Behalve de plof waarmee ik hier op de straatstenen belandde.
Waar dat 'hier' ook mag zijn.
Wat is het hier stil en leeg.
Geen mens te zien.
Hier rijdt geen enkele fiets of auto.
Gek, hier staat zelfs geen enkele auto geparkeerd.
Waar is iedereen?
Dit voelt helemaal niet goed.

Ze zet haar handen als een trechter aan haar mond.
'Hallo!' roept ze.
Het klinkt als het piepen van een bang muisje.
Jana slikt eens en trekt haar longen open.
Haar mams zegt altijd dat ze een luide stem heeft.
'Hallooooo!
Is hier iemand?
Ik heb hulp nodig!'
Haar stem echoot door de lege straat en weerkaatst op de vele vuile ruiten.
Die staren haar aan als blinde ogen.
De laatste echo's van haar stem fladderen weg.
'Nu niet bang worden, Jana,' zegt ze.
'Dit is zo te zien een grote stad.
Hier moeten toch ergens mensen zijn.'
Jana gaat naar een ander winkelraam.
Ze drukt haar neus tegen het koude glas.
De ruimte daarbinnen is leeg en vol stof.
In het midden staat een rode speelgoedauto van plastic.
Jana duwt tegen de winkeldeur.
Die gaat niet open.

12

Er is een knop voor de bel.
Geen naam, ook niet voor de winkel.
Jana drukt op de belknop.
Ze schrikt even van het schelle geluid.
Er doet niemand open.
Ze doet dit ook bij het volgende gebouw.
Dat is een stel appartementen.
Zeven bellen, zeven blanco naamplaatjes.
Niemand reageert.

Vleugels met ogen

Nu wordt het zo langzamerhand echt donker.
Plotseling gaat de straatverlichting aan.
Grote ronde bollichten die aan de huismuren
bevestigd zijn.
Ze verspreiden een zwak oranje licht.
Amper genoeg om te zien waar je voeten
staan.
De uiteinden van de straat bestaan uit twee
donkere schaduwgaten, ver weg.
Jana komt bij een zijstraat.
Hetzelfde nare zicht, dezelfde flauwe
verlichting.
Dan hoort Jana een fladderend geluid boven
haar hoofd.
Ze kijkt omhoog.

Uit de donkere hemel komt iets heel vlug
naar beneden.
Het klapwiekt voor haar neus.
Jana ziet een rond gezicht dat alleen uit een
grote open bek bestaat.
Die bek zit vol kleine tanden die op naalden
lijken.

14

Het heeft zwarte veren zoals van een vogel.
Maar de klauwtjes zijn dunne
mensenhanden.
Het wezen beweegt zijn grote gerafelde
vleugels langzaam heen en weer.
Zo hangt het bijna roerloos voor Jana.
De binnenkant van de vleugels is bedekt met
honderden ogen.
Die kijken Jana allemaal aan.
Vol interesse, alsof ze iets lekkers zien.
Een snoepje.
Het wezen versmalt zijn bek.
Het stoot een hoge fluitende toon uit.
Dan fladdert het vliegensvlug weer omhoog.
Jana ziet een flits van een lang gevederd lijf.
Met een dunne kale staart die heen en weer
slingert.
Wat was dat voor iets?
Geen vogel, geen vleermuis.
Iets dat op beide lijkt, maar geen van
beide is.
Boven zich hoort Jana weer die fluittoon.
Dan meerdere fluittonen.
Het wezen krijgt antwoord van soortgenoten.
Alsof daar in de donkere hoogte een hele
zwerm rondvliegt.

Jana deinst achteruit en botst met haar rug tegen een muur.

Twee, drie van de wezens komen naar beneden.

Ze laten zich vallen.

Net voor ze de grond raken, strekken ze hun vleugels uit.

Ze zweven laag en de ogen op de vleugels kijken rond.

Op zoek naar Jana.

Jana ziet dat ze grote behaarde oren hebben.

De oren liggen plat naar achteren op hun kop.

De kleine handjes gaan open en dicht.

Jana ziet dat hun vingers lange nagels hebben.

Met afschuwelijk scherpe punten.

Jana balt haar vuisten.

Als ze denken dat ik hun toetje ben, hebben ze het mis, denkt ze.

'Jullie kunnen maar beter uit mijn buurt blijven.

Ik ben niet bang voor jullie!'

Haar stem trilt wel een beetje.

Op het geluid van haar stem schieten de kleine monsters weer de hoogte in.

Daarboven wordt fel gekwetterd.
Alsof ze ruzie maken over wie de eerste hap
krijgt.

Dan hoort Jana een heel ander geluid.
Een vaag gebonk dat van heel ver komt.
Uit de schaduwen aan het einde van de
zijstraat.
Het is een dof en dreigend geluid.
Het trilt in haar buik.
Het is alsof de grond even beeft onder haar
voeten.
Het kwetteren in de lucht houdt op.
Even is alles doodstil in de straat.
Dan komt het bonkende geluid terug.
Het komt dichterbij en het wordt
regelmatiger.
BONK, BONK, BONK, als enorme
voetstappen.
Jana staat stokstijf.
Iets vreselijks is op komst.
Het komt heel vlug dichterbij.
Ze spitst haar ogen, maar ze kan niets zien.
Het einde van de straat is een zwart gat.
Daar komt dat geluid vandaan.
Het jaagt haar de stuipen op het lijf.

Nu ziet ze zelfs de stenen van de
straat trillen.
BONK, BONK, BONK.
Steeds dichterbij en nog ziet ze niets.
Beweegt daar iets groots en donkers in
de schaduw?
Een hand grijpt haar bij de schouder.

Donderpoot

'Ben je helemaal gek geworden?
Wat doe je hier op straat?'
Jana draait zich met een ruk om.
'Wat ... wat ... wie ...'
Een jongen staat gehurkt voor haar.
Met gebogen knieën, zodat zijn hoofd net tot
haar borst komt.
Hij heeft een smal behaard gezicht.
Een brede mond met twee lange uitstekende
voortanden.
Hij draagt een bruine bontjas en is op blote
voeten.
'Domme meid, hoor je niet dat de
Donderpoot daar aankomt?
Wil je misschien opgevreten worden?'
Jana schudt verbijsterd haar hoofd.
'Donder ... wat? Donderpoot?
Wat is een Donderpoot?'
De jongen springt op en neer.
Hij maakt maaiende bewegingen met
zijn armen.
Hij draagt geen bontjas, zoals Jana dacht.
De jongen is helemaal behaard.

Met lange, stekelige zwarte haren die
rechtop staan.
Zijn bolle ogen staan aan de zijkant van zijn
gezicht.
'Nieuw hier, zeker?
Geen tijd, geen tijd, maak dat je wegkomt.
Rennen, heel vlug nu.
De Donderpoot is traag maar geduldig.
De Vleugels hebben hem gewaarschuwd.
Donderpoot weet dat je hier bent.
Hij komt je halen, dus weg nu, heel vlug.'
Hij draait zich om en rent weg met
huppelende sprongen.
Een lange, dunne staart zwiept achter hem
aan over de straat.
Na enkele seconden is hij verdwenen.
Jana ziet niet waar hij heen gegaan is.
De grond trilt opnieuw.
Vogels met ogen op hun vleugels, een
Donderpoot, een jongen die een rat is.
Ik ben gek geworden, denkt Jana.
Nu ga ik eerst zitten en knijp ik mijn
ogen dicht.
Ik wacht tot iemand mij hier vindt.
Wacht hier ... op de Donderpoot?
BONK, BONK, BONK.

Heel dichtbij.

Wat zei die jongen: wil je opgevreten
worden?

Jana draait zich om en rent weg van het
gebonk dat steeds dichterbij komt.
Opnieuw de eerste straat in.
Ze voelt aan elke deur, allemaal potdicht.
Ze kijkt achterom en ziet iets uit de zijstraat
komen.
Het oranje licht is genoeg om het te zien.
Iets wat erg groot is en meer poten heeft dan
Jana lief is, komt dichterbij.
Ze duikt een volgende zijstraat in.
Geen winkels en magazijnen meer.
Hier staan gewone huizen, kleiner maar ook
allemaal donker en verlaten.
Jana belt aan, ze klopt op deuren en ramen.
'Laat me binnen, doe toch open!' smeekt ze.
Ze kijkt achter zich.
Twee enorme harige poten verschijnen om
de hoek.
De Donderpoot komt eraan.
Twee huizen verder wordt een deur
opengegooid.
'Hierheen, vlug!' roept een meisjesstem.

Op de vlucht

Jana denkt niet na, ze gaat bij de open deur naar binnen.
Achter haar wordt de deur meteen dichtgegooid.
'Wat … wie ben …' stamelt Jana.
Er wordt een smalle hand over haar mond gelegd.
'Vlug meekomen, niets zeggen.
Weg van de deur, snap je?
Je geur, de Donderpoot kan die ruiken.'
Een hand grijpt Jana bij de pols en sleurt haar mee.
Door een donkere gang en door een zijdeur.
Het meisje duwt Jana op de grond onder een raam.
Ze houdt een dunne vinger op haar lippen.
Jana knikt, dat begrijpt ze best.
De vloer en de muren trillen.
Stof valt van het plafond.
Een harde bonk tegen de voordeur.
Dan nog een.
Een vreemde geur dringt in Jana's neusgaten.

De geur is zo vies dat ze bijna moet
kokhalzen.

Haar angst is groter.

Jana bedwingt het braakgevoel.

Ze hoort een luid snuffelend geluid.

Het wordt helemaal donker in de kamer.

De Donderpoot staat buiten voor het raam.

Jana ziet poten die wel twintig centimeter
dik zijn.

Ze staan vol met puntige stalen stekels.

Het grote lijf van de Donderpoot komt
hoger dan het raam.

Jana wil zich omdraaien en wegkruipen.

Ze opent haar mond om te gillen.

Het meisje grijpt Jana stevig bij de armen
en drukt erop.

Ze schudt heftig met haar hoofd.

Jana slikt en blijft roerloos liggen.

De Donderpoot buigt zijn poten.

Zijn kop verschijnt voor het raam.

Een enorme neus met vier neusgaten.

Ze hebben metalen roosters die bewegen.

De Donderpoot snuffelt aan het raam.

Jana voelt dat het meisje ook beeft.

Ik ga flauwvallen, denkt Jana.

De enorme kop trekt zich terug.
De Donderpoot strekt zijn poten weer.
Hij gaat weg met trage bonkende stappen.
Jana ziet het achterlijf voorbijgaan.
Een grote leerachtige zak die over de
grond sleept.
De dreunende stappen verwijderen zich.
Jana haalt opgelucht adem met een
diepe zucht.
Die adem heeft ze de hele tijd ingehouden.
Ze dacht even dat ze zou stikken.
De vieze geur hangt er nog altijd.

Nu kan Jana haar redster bekijken.
Het meisje is kleiner dan Jana.
Ze heeft een rond gezichtje en twee donzige
harige oortjes.
Die staan nu spits rechtop en flappen heen
en weer.
De pupillen van haar ogen zijn als van een
kat.
Het meisje heeft lange snorharen naast haar
platte, roze neusje.
'Bedankt dat je me gered hebt,' zegt Jana.
Ze probeert niet te kijken naar het harige
lichaam van het meisje.

Of naar de dikke donzige staart.
Het meisje legt haar oren even plat.
'Dom meisje,' zegt ze.
'Alleen op straat, 's nachts.
Wandelend voedsel voor Donderpoot.'
'Die is afgenokt,' zegt Jana.'
'En jij bent … een kat?'
'Fedra Kat,' zegt het meisje en ze glimlacht.
Het is een raar zicht.
Jana heeft nog nooit een kat zien glimlachen.
Het meisje snuffelt aan Jana.
Ze geeft een likje op Jana's hand met een
harde roze tong.
'Goed, ik ben Jana,' zegt Jana.
'Jij bent Fedra, een kat.
En daarnet zag ik een jongen met een
rattenstaart.'
'Ward Rat,' zegt Fedra.
Ze snuift boos.
'Laffe rat, hij liet je in de steek.'
'Hij heeft me gewaarschuwd voor de
Donderpoot,' zegt Jana.
'Maar ik had geen idee wat hij bedoelde.'
'De Vleugels hebben je gezien,' zegt Fedra.
'De vogels met honderden ogen.
Het zijn wachtposten.

Ze leiden Donderpoten naar hun prooi.
Donderpoot is niet weg.
Hij heeft je geroken en zal terugkomen.
We moeten hier zo snel mogelijk vandaan.'
Fedra staat op en loopt weg.
'Wil iemand mij vertellen waar ik hier ben?'
smeekt Jana.
'En vooral hoe ik hier weg kan?'
Fedra staat in de deuropening.
Ze wenkt met een harige klauwhand.
'Geen tijd voor uitleg, eerst wegwezen.'
Jana volgt Fedra door de gang.
Ze gaan een trap af, naar een kelder.

In de kelder zweeft een rond scherm in
de lucht.
Felle kleuren stralen van het scherm.
'Dat is het stadspark!' roept Jana.
'Daar, op dat scherm.
Daar is mijn eigen wereld!'
'Nu geen tijd voor het Oog,' zegt Fedra.
'Nu meekomen, uitleg is voor later.'
Fedra schudt haar kop.
Haar oortjes liggen plat tegen haar hoofd.
'Nieuwelingen, altijd moeilijkheden,'
mompelt ze.

Jana volgt haar door de kelder, onder
toezicht van het vreemde Oog.
De achterkant van het oog ziet er precies
hetzelfde uit.
Fedra opent een deur in een donkere hoek.
De deur leidt naar een smalle gang.
Die is zo laag dat ze gebukt moeten lopen.
Links en rechts zijn zijgangen.
In de muren zitten vierkante steentjes.
Die verspreiden een flets blauw licht.
Fedra loopt gehaast en Jana volgt.
Ze nemen zijgangen die weer in andere
gangen en kamers uitkomen.
'De Donderpoot kan ons hier niet volgen,'
zucht Jana.
'Kunnen we wat langzamer?
Ik raak zo buiten adem.'
Fedra doet wat Jana vraagt.
Soms loopt ze rechtop, dan weer op allevier
haar poten.
Die gebruikt ze als armen en benen.
'Donderpoot heeft geen ogen,' zegt ze.
'Maar ruikt en hoort erg goed.
Hij voelt elke beweging.
Daarom moesten we heel stil zijn in
het huis.'

'Wat of wie is die Donderpoot?
'Het leek wel een soort metalen spin.'
'Is maar een van de velen.
Donderpoten heersen over Gigantopolis als
de zon weg is.'
'Gigantopolis?
Wat betekent dat nu weer?'

Bij de Anderlingen

Fedra kijkt Jana aan.
Haar snorharen trillen als ze wijst.
'Dit. Dat. Boven. Straat. Alles.
Dat is Gigantopolis.'
'Dus deze stad heet Gigantopolis?'
'Niet alleen de stad, de stad is de wereld.
De wereld is Gigantopolis.'
Daarmee moet ik het dan maar doen, denkt
Jana.
Fedra begint opnieuw te lopen door de
doolhof van gangen.
Zuchtend volgt Jana Fedra.
Haar hart klopt in haar keel.
Ze voelt zich erg moe.
Fedra blijft plotseling staan.
Jana botst bijna tegen haar op.
Fedra's oren staan weer gespitst.
Ze snuffelt rond met opgeheven hoofd.
Dan grijpt ze Jana bij haar arm.
Ze sleurt Jana mee een zijgang in.
'Ssst, heel stil zijn nu, Jana.'
Jana weet wel dat ze beter niet tegen
kan sputteren.

Ze hoort gedempte pletsende geluiden.
Alsof iemand op en neer springt in een
plas water.
Dan ziet Jana in de hoofdgang vlugge
gedaantes voorbijspringen.
Ze zijn kleiner dan Fedra.
Ze springen en huppelen voorbij op
gedrongen poten.
Zij veroorzaken de pletsende geluiden.
Jana ziet flitsen van vooruitgestrekte snuiten.
Sommige hangen open als bij een krokodil.
Jana ziet vele rijen kleine scherpe tanden.
In enkele seconden huppelen er dertig,
vijftig of meer voorbij.
De pletsgeluiden vervagen in de verte.

'Huppelaars, dat zijn tunneljagers,' zegt
Fedra.
'Het leken me meer grote kikkers,' zegt
Jana.
'Zo gevaarlijk zagen ze er niet uit.
Die kan ik best aan.'
Fedra lacht spottend.
'Eentje ja, maar twintig?
Honderd of zelfs meer?
Ze houden ook van vers vlees.

Kom, we moeten verder.'
Ze lopen wat rustiger door.
Jana heeft steeds meer vragen terwijl ze
Fedra volgt.
Gigantopolis: een stad die een wereld is?
Of bedoelde Fedra dat deze stad hun
wereld is?
Hoe ben ik hier terechtgekomen, vraagt
Jana zich af.
Mijn wereld wordt niet beheerst door vogels
met ogen op hun vleugels.
Daar bevinden zich geen reuzenspinnen.
Toch moet er een verband zijn.
Door dat ronde scherm, het Oog, zag ik
het stadspark.
Dat is toevallig het laatste wat ik mij
herinner uit mijn wereld.
Na het park is er iets met mij gebeurd.
Iets wat mij in deze wereld gegooid heeft.

'We zijn er,' zegt Fedra.
'Welkom bij ons, de Anderlingen.'
Ze duwt een deur open in een zijmuur.
Een golf van fel licht valt over hen heen.
Fedra trekt Jana mee naar binnen en sluit
de deur.

Jana is even verblind door het harde licht.
Ze knippert met haar ogen om te wennen.
Ze zijn niet alleen in de kamer.
Twintig, dertig jongens en meisjes zitten op
de grond of aan lage tafels.
Geen van hen is volledig menselijk.

De stem van Gigantopolis

Drie katmensen kijken Jana nieuwsgierig
aan met hun spleetogen.
De jongen die haar waarschuwde, Ward Rat,
is er ook.
Hij is op een groot stuk wortel aan
het knabbelen.
Zijn lange kale staart ligt rond zijn
benen gekronkeld.
Op een tafel ligt een jongen met scherpe
horens en een geitensik.
Het was even doodstil toen Jana en Fedra
binnenkwamen.
Nu beginnen ze allemaal door elkaar
te praten.
Hun stemmen zijn menselijk, maar met
dierlijke klanken.
De stemmen komen ook van boven.
Jana kijkt omhoog.
Op de zolderbalken zitten twee jongens en
een meisje.
Ze hebben zwarte ravenvleugels en
scherpe snavels.
Enkele hagedissen met mensengezichten

kruipen over het plafond.
'Je hebt de domme meid meegebracht.
Dat is niet erg slim,' zegt Ward Rat.
'Jij liet haar in de steek, lafaard,' zegt Fedra.
Ward haalt zijn schouders op.
Hij ontbloot zijn lange tanden.
'Ze had de Donderpoot al aangetrokken,'
zegt hij.
'Dom van haar, erg dom.'
'Ik wist niet beter,' zegt Jana kwaad.
'Ik weet zelfs niet waar ik hier ben.
Of hoe ik hier gekomen ben.'

Een jongen komt naar boven.
Hij trekt met zijn linkerbeen en steunt op een
houten kruk.
Zijn wangen hangen slap rond zijn kleine
mond zonder lippen.
Zijn ogen zitten diep weg onder gefronste
wenkbrauwen.
'Ik ben Tim Buldog,' zegt hij.
'Ik ben hier de leider.'
'Ik heet Jana.
Hoe keer ik terug naar mijn wereld?'
'Tsuk tsuk, nog maar pas hier en ze wil al
weer weg.'

'Zend haar weg, ze hoort hier niet,' zegt
een raafjongen.
'Ze is geen Anderling, zoals wij,' zegt
Ward Rat.
'Ze is niet veranderd, weg met haar.'
Fedra blaast naar hem.
'Let op je woorden, jij!'
'Kop dicht, allemaal,' zegt Tim Buldog.
'Ik zie ook wel dat ze niet veranderd is
zoals wij.
Ze ziet eruit als een van de Eersten.
Ze heeft geen pels van zichzelf.
Ze draagt … hoe heet dat ook weer?'
'Kleren, dat zijn kleren,' zegt Fedra.
'Zo weinig haar, geen pels, geen veren.
Wat vies,' zegt Ward Rat.
'Ik vind dat normaal,' zegt Jana beledigd.
'Ik loop niet in mijn blootje zoals jullie.'
Tim Buldog snuift met zijn natte neus.
'Van welke zone kom jij dan, Jana?
Soms krijgen we nieuwkomers over
de vloer.
Maar ze zijn altijd veranderd in Anderlingen,
zoals wij hier.
Ik wist niet dat er nog oude zones waren
in Gigantopolis.

Waar men er nog uitziet als de Eersten.
Zoals de mensen van vroeger.'

'Ik snap niet wat je bedoelt,' zegt Jana.
'Waar ik vandaan kom, is iedereen zoals ik.
Doodgewone mensen.
Alleen weet ik niet meer, waar ik
vandaan kom.'
Weer begint iedereen tegen elkaar te
babbelen en te roepen.
Er wordt gesnoven, gesist, geblaft,
gekwetterd, gebalkt, geloeid.
Dit lijkt wel een dierentuin, denkt Jana.
Ze ruikt nu ook de vele geuren die deze
wezens hebben.
Tim houdt zijn rechterhand omhoog.
Dadelijk houdt iedereen zijn bek, muil of
snavel.
'Dan ben jij nu Jana Mens,' zegt Tim.
'Je moet uit een van de oude zones komen,
diep onder de grond.'
'Dat moet wel,' zegt Fedra.
'Anders had ze wel geweten van de Vleugels
en de Donderpoten.'
Jana's knieën knikken.
Ze gaat even op de grond zitten.

'Ik begrijp hier niets meer van,' zegt ze.
'Gigantopolis, jullie, deze stad.
Waar ben ik toch?'
'Je bent verward, dat komt wel goed,' zegt
Tim.
'Fedra, neem Jana Mens mee naar de toren.
Laat haar zien waar dit is, waar wij allemaal
zijn.'
Fedra wenkt en Jana staat gedwee op.
Ze gaan weer de donkere gangen in.
Na tien minuten wandelen komen ze bij een
metalen wenteltrap.
Die leidt omhoog in een donkere koker.
'Moeten we daar omhoog?' zucht Jana.
'Helemaal naar boven,' zegt Fedra.
'Mijn voeten doen pijn, maar je moet
het zien.
Kom, ik wil terug zijn voor etenstijd.
Ik krijg honger van al dat rennen.'
Jana's maag knort ook.
Hoe lang ben ik hier al? vraagt ze zich af.
Ze kijkt omhoog in de koker.
Ze kan het einde zelfs niet zien.

Fedra is al aan de klim begonnen, op handen
en voeten.

Jana zucht en volgt haar.

De trappen gaan maar door, hoger en hoger.

Van tijd tot tijd staan ze even stil om wat op adem te komen.

Dan ziet Jana dat het lichter wordt.

Even later komen ze uit een rond gat en staan ze op een platform.

Jana kijkt op en krimpt ineen.

Aan de zwarte hemel staan twee kleine blauwe manen.

'Kom,' zegt Fedra, 'niets om bang voor te zijn.

's Nachts twee manen, overdag één rode zon.

Dit is Gigantopolis, kijk maar.'

Het ronde platform heeft een balustrade.

Jana gaat erheen en kijkt.

Om haar heen begint alles te draaien.

Ze staan hoog boven de stad.

Die zich onder hen uitstrekt als een slapend beest.

Duizenden, miljoenen zwak verlichte gebouwen.

Straten en straten, zo ver ze kan kijken.

Jana wandelt rond het platform.

Overal ziet ze hetzelfde.

Eindeloze straten vol dode gebouwen.
Onder hen fladdert een zwerm donkere
gedaantes voorbij.
Ze klapwieken en krijsen luid.
'De Vleugels,' zegt Fedra.
'Niet bang zijn, ze komen niet zo hoog.'
Jana wijst naar de stad overal om haar heen.
'En dit alles … is …'
'Gigantopolis, ja,' zegt Fedra.
Jana kan het niet begrijpen.
'Zoiets heb ik nog nooit gezien.
Zo groot, zo uitgestrekt, tot aan de horizon.
Hoe groot is deze stad dan wel?'
'Er is geen horizon,' zegt Fedra.
'Gigantopolis is de wereld.'
Waar ben ik in terechtgekomen? denkt Jana.
Fedra trekt aan Jana's mouw.
'Genoeg gezien?
'Nee,' zegt Jana, 'wat zijn dat?'

Witte lichten dwalen door de straten.
Ze zijn rond en keren zich omhoog.
Alsof ze allemaal naar Jana kijken.
'De Ogen, niet goed,' zegt Fedra.
De lichten zijn ronde schermen.
Ze laten een man met een rode kapmantel

zien.
Alleen zijn mond is zichtbaar.
De dunne lippen bewegen.
'Kom tot mij, Jana,' zeggen ze.
De stem is koud als ijs.
'Dat is de stem van de Rode Meester.
Heel slecht, niet luisteren,' roept Fedra.
Ze trekt aan Jana's arm.
De mond verandert, de lippen worden
dikker.
De stem verandert ook.
Hij klinkt schel en bang.
'Jana, vlucht!' roept de stem.
De Ogen sluiten zich.
De ronde schermen zijn weg.
'Wie kent hier mijn naam?' vraagt Jana.
'Geen idee,' zegt Fedra.
'We moeten weer naar beneden, het is
bijna etenstijd.
Anders is er niets voor ons over.'

Spookbeelden

De grote kamer zit bijna helemaal vol.
Er zijn nog minstens dertig Anderlingen
bijgekomen.
Beetje mens, maar voor de rest honden
en schapen.
Ook zijn er muizen en er is zelfs een pony.
Elke soort heeft toch de normale grootte
van een mens.
Iedereen grijpt eten van de tafels.
Er staan manden met hompen brood.
Veel fruit en gekookte groenten.
Nergens is vlees te zien.
Water staat in grote kommen op tafel.
Om de beurt gaan ze daar slurpen of likken.
Jana gebruikt haar handen als beker.
Het water heeft een lichte metaalsmaak.
Maar haar dorst is te groot.
Ze neemt een stuk brood en twee appels.
Nu merkt ze pas hoe hongerig ze is.
Iedereen is druk aan het kauwen.
De twee stemmen spoken in Jana's
gedachten.
Een die haar uitnodigt.

Een die zegt dat ze moet vluchten.
Ze heeft geen idee wat het betekent.
Jana kijkt rond terwijl ze eet.
Ze went al aan de Anderlingen.
Ze zien er vreemd uit, maar ook best lief.
Tegen de muren staan open kasten.
Jana ziet verschillende voorwerpen en ook boeken.
Drie katmensen komen bij haar zitten.
Een van de jongens likt aan Fedra's oor.

'Dit is Kris,' zegt Fedra.
'Let maar niet op zijn manieren.
Hij is mijn vriendje.'
Kris kijkt schuin naar Jana.
'Ze ziet er wel aardig uit,' zegt hij.
'Jammer dat ze geen poes is.'
Fedra geeft hem een por in zijn ribben.
'En dat zijn Joyce en Stefanie,' zegt ze.
'Ze komen uit hetzelfde nest.'
'Jullie leven hier allemaal samen?' vraagt Jana.
'Maar jullie zijn zo verschillend.
Honden, katten, muizen, die vechten toch altijd?'
'We zijn allemaal gelijk in Gigantopolis,'

zegt Kris.
'Dat is zo sinds de Verandering.
De Donderpoten en de Vleugels zijn onze
vijanden.'
'Zij dienen de Rode Meester,' zegt Joyce.
'Alleen overdag zijn we buiten veilig.'
'Dan gaan we voedsel zoeken,' zegt
Stefanie.
'Wonen jullie allemaal in dit deel?' vraagt
Jana.
'Fedra zegt dat Gigantopolis heel de
wereld is.'
'Dit is de Groene Zone, onze zone.
Anderlingen wonen in heel Gigantopolis.
In andere zones.
Soms komen er nieuwe bij ons, zoals jij.
Soms gaan er weg, bij ons vandaan.
Op zoek naar een ander leven in de andere
zones.'

Tim Buldog komt bij hen zitten.
'Jij bent een rare, Jana Mens,' zegt hij.
'Ik heb in de oude boeken gekeken.
Jij ziet eruit zoals de Eersten, van voor
de Verandering.
Dat is niet mogelijk in Gigantopolis.'

48

'Ik zou het niet weten,' zegt Jana.
'Ik kwam hier vanuit mijn eigen wereld.
Ik heb geen idee hoe of waarom.'
Mijn ouders zullen doodongerust zijn, denkt
ze.
Die hebben geen idee waar ik zit.
Ikzelf trouwens ook niet!
'Hoe kende de Rode Meester mijn naam?'
Tim Buldog kijkt naar Fedra.
Fedra knikt: 'Hij sprak tot haar.
Hij gebruikte twee tongen.'
'Wat gebeurde er tijdens de Verandering?'
vraagt Jana.
Tim Buldog staat op.
'Te veel vragen, Jana Mens,' zegt hij.
'Als de Rode Meester je kent, is dat een
slecht teken.
Nu ben ik erg moe.
We praten morgen verder.'
Iedereen rolt zich op of strekt zich uit
voor de nacht.
Jana blijft zitten met haar vragen.
Ze maakt het zich gemakkelijk, met
haar rug tegen een muur.
Fedra rolt zich in een bolletje tegen
Jana's benen.

De lichten doven niet.
Jana trekt haar T-shirt tot over haar ogen.
Ze ruikt haar eigen zweet.
Bah, van al dat rennen natuurlijk.
Dan toch maar proberen te slapen.
De vreemde dag eist zijn tol.
Jana valt in een diepe slaap.
Ze droomt.
Of misschien wel niet.

Jana opent de ogen.
'Jolien, Niels!' roept ze.
Er komt geen geluid uit haar keel.
Haar vrienden staan voor haar.
Ze kijken bedrukt op haar neer.
Niels zegt iets tegen Jolien.
Zijn lippen bewegen, maar Jana hoort niets.
Haar mond vormt de woorden 'Hier ben ik',
maar er komt geen klank.
Jana wil bewegen, maar kan dat niet.
Het is alsof haar lichaam verlamd is.
Jolien bukt zich en steekt haar hand uit
naar Jana.
Jana voelt niets van de aanraking.
Jana kan door Jolien en Niels heenkijken.
Achter en door hen ziet ze de muur.

Ze voelt angst.
Spoken! denkt ze.
Er is iets gebeurd en nu zie ik spoken.

Jana opent haar ogen.
De spookgedaantes zijn verdwenen.
Jana gaat rechtop zitten.
'Oef, ik kan weer bewegen,' zegt ze.
Ze schrikt van haar eigen stem.
Fedra maakt een spinnend geluidje.
Het was maar een nare droom, denkt Jana.
Waarom kan ik niet even vlug wakker
worden?
En weg zijn uit deze gekke wereld?
Trouwens, wat heeft mij wakker gemaakt?
In het midden van de kamer zweeft zo'n
rond scherm, een Oog.
Daarin ziet ze het gezicht van een man.
Hij draagt een rode mantel.
Zijn grijze ogen kijken haar aan.

De Rode Meester

'Jana, jij bent Jana,' zegt de man.
Het is al een oudere man.
Zijn haar is grijs en verwilderd.
Hij draagt een kleine bril met ronde glazen.
Zijn stem is schel, de tweede stem die ze
hoorde op de toren.
'Ja, ik ben Jana,' zegt ze.
'En jij bent de Rode Meester?'
De man kijkt somber.
'Ja en nee,' zegt hij.
'Er is geen tijd om dat uit te leggen.
Je moet weg uit Gigantopolis.
Voor het te laat is.'
'Te laat voor wat?
Ja, ik wil heel graag weg.
Maar hoe moet ik dat doen?'
Het gezicht van de man verandert.
Het wordt dunner, de haren worden langer
en gitzwart.
De stem klinkt nu als schurend metaal.
'Je moet bij mij komen,' zegt hij.
'Tegen wie spreek je?' vraagt Fedra.
Jana kijkt even opzij.

Als ze weer opkijkt, is het Oog weg.
'De man in het Oog,' zegt Jana.
Fedra gaat rechtzitten en legt haar oren plat.
'De Rode Meester heeft weer tot jou
gesproken,' zegt ze.
'Dat is een erg slecht teken.
Dat moet Tim dadelijk horen.'

Tim Buldog is niet blij als hij gewekt wordt.
'Wat is er aan de hand?
Het is nog geen morgen,' bromt hij.
'De Rode Meester was hier in een Oog.
Hij heeft tot Jana gesproken.'
'Hij zei dat ik heel vlug weg moest.
Voor het te laat is,' zegt Jana.
'Wie is die man?
Wat wil hij van mij?'
Tim Buldog steekt zijn snuit in een kom
water en schudt zich even uit.
'Zo, nu gaat het beter,' zegt hij.
'Weg? Ja, jij hoort hier zeker niet.
Maar meer begrijp ik er ook niet van.
De Rode Meester spreekt nooit tot ons.
Het is de eerste keer dat een Oog
hier binnenkomt.'
'Maar wie is die Rode Meester?' vraagt

Jana.
'Waarom zijn jullie bang voor hem?'

'Hij is de meester van Gigantopolis,' zegt
Tim.
'Hij is de enige die niet veranderde.
Lang geleden raakte de wereld overvol van
de Eersten.
Mensen zoals jij, Jana, en hun machines.
Er waren veel grote steden.
Ze waren verdeeld in zones die toen
landen en naties genoemd werden.
Mensen aten ons zelfs op.'
Tim huivert even.
'Kun je je dat voorstellen?'
Jana zegt maar liever niets.
Ze is zeker niet vies van een kroket of
een hamburger.
'De steden werden steeds groter,' gaat
Tim verder.
'Ze vergroeiden met elkaar.
Tot één stad heel de wereld vulde.'
'En dat was Gigantopolis,' zegt Jana.
'Ja, en toen kwam de Verandering.
Sommige zeggen dat de Eersten die zelf
veroorzaakt hebben.

Een oorlog met biochemische wapens,
zowel op aarde als in de ruimte.
Gigantopolis werd gevuld met groen licht
en wolken die vies roken.
Miljoenen gingen dood of vluchtten.
Na jaren trokken de wolken weg, maar de
lucht was veranderd.
De zon was bloedrood geworden.
's Nachts zagen we nu twee manen.
De oude was in tweeën gebroken.
Alle Eersten waren gestorven.
Wij, de overlevenden, veranderden.
Wij werden de Anderlingen.'
'Een wereldwijde oorlog,' zegt Jana.
'Alle leven werd vernietigd.
En dan de veranderingen: mens en dier
die één werden.
Dan ben ik hier in een verre toekomst.'
'Ik weet het niet,' zegt Tim.
'Voor jou misschien de toekomst.
Maar dit is ons heden, onze wereld.
Wij leerden met elkaar leven en werken.
Voor ons telt elke dag.
Wat voorbij is, bestaat alleen in oude
boeken.'

'Toen kwam de Rode Meester,' zegt Fedra.
'Hij was de enige, de laatste van de Eersten.
Een mens die niet veranderd was.
Hij riep zich uit tot heerser over
Gigantopolis.
Hij maakte de Donderpoten en de Vleugels.
Hij bedient zich van de vele Ogen.'
'Hij leek een gewone man uit mijn wereld,'
zegt Jana.
'Hij zei dat ik hier weg moet.
Maar hij zei ook dat ik naar hem moet gaan.
Hij is de enige die mij kan helpen.
Ik moet naar hem toe.'
'Dat is je eigen vrije wil,' zegt Tim.
'Maar reken niet op mij, Jana Mens.
De Rode Meester heerst over de nacht.
Dan gaan wij niet naar buiten.'

'Ik wil je wel helpen,' zegt Fedra.
'Misschien gaan Kris en Stefanie ook mee.
We kunnen je tot aan de Rode Zone
brengen.'
'Is dat waar hij woont?'
'Woont, leeft, heerst, wie weet?
Daar zal je hem vinden.
Als de Donderpoten je doorlaten.

Wij brengen je daarheen, maar wij gaan
er niet in.
Nu moeten we eerst nog wat rusten.
Het is een verre reis.
Morgen overleggen we.'
Tim knikt, het gesprek is afgelopen.
Hij draait zich op zijn zij en begint te
snurken.
Jana sluit haar ogen weer, maar slapen kan
ze niet meer.

Een nieuwe dag

Het wordt dag, al verandert het licht niet.
De diermensen zijn ineens klaarwakker.
Ze wassen zich met hun poten en staarten.
Groepsgewijs gebruiken ze een zijkamer.
Daar is een stel gaten in de grond.
Jana is wat gegeneerd, maar iedereen
vindt het normaal.
Ze stroopt haar broek af en hurkt over
zo'n gat.
Ach, denkt ze, in Frankrijk en Turkije was
het soms ook zo op vakantie.
Ze is wel blij dat ze papieren zakdoekjes
bij zich heeft.
De diermensen likken hun achterste schoon.
Maar dat ziet Jana toch niet zitten.

Fedra heeft wat hompen brood, fruit en
rauwe groente in een zak.
'Waar halen jullie dit voedsel?' vraagt Jana.
'Dit is de Groene Zone,' zegt Fedra.
'Plaatsen die jullie parken en
tuinen noemden.
Daar kweken wij ons voedsel.

De Rode Meester heeft ons daarbij geholpen
in het begin.'
'Dus is hij toch niet zo'n tiran,' zegt Jana.
'Waarom zijn jullie dan zo bang voor hem?'
'De Rode Meester spreekt met twee tongen,'
zegt Fedra.
'Soms is hij goed voor ons.
Maar als hij met de ijsstem spreekt, is hij
erg wreed.
Sommige denken dat hij ons geschapen
heeft.'
'Twee tongen, twee stemmen.
Zo sprak hij ook tot mij,' zegt Jana.
'Een stem zei dat ik bij hem moest komen.
De andere stem zei dat ik moest vluchten.'
Maar Fedra wil of kan niet meer uitleg
geven.

Jana heeft meer gezelschap dan ze
verwacht had.
Tim Buldog gaat niet mee.
'Te moeilijk met mijn mankepoot,' zegt hij.
'En ik wil de Rode Meester niet ontmoeten.'
Fedra heeft Kris en Stefanie kunnen
overhalen.
En Ward Rat meldt zich ook aan.

'Ik liet je in de steek daarboven,' zegt hij.
'Nu wil ik het goedmaken, oké?'
'Je bent welkom, Ward,' zegt Jana.
Ze streelt de harde haren op zijn kop.
Ward klappert tevreden met zijn tanden.
Goed dat ik die niet als vijand heb, denkt
Jana.
Ze beginnen aan een lange wandeling.
Door ondergrondse tunnels en vele gangen.
Een paar keer moeten ze zich verstoppen als
een bende Huppelaars voorbij springt.
Een andere keer blubbert een slakachtig
wezen voorbij.
Het wezen laat een slijmspoor achter op de
grond.
Het slijm is rood en geeft licht.
Het is niet zomaar een spoor, het zijn
woorden.
Jana. Jana. Jana. Telkens opnieuw.
'Kent dat ding jou?' vraagt Fedra.
'Ik heb geen idee wat dit betekent,' zegt
Jana.
Eindelijk komen ze weer in de open lucht.
Jana huivert als ze de enorme straat ziet met
de vele grijze huizen.
Is dit echt de toekomst van de mens?

De zon is gestegen tot boven de gebouwen.
Hij ziet eruit als een klein en gemeen
rood oog.
Zijn licht werpt een geelrood waas over de
stad, bijna mistig.
Enkele Ogen zweven over de straat.
Ze keren zich naar Jana en haar vrienden.
De schermen zijn allemaal bloedrood.
In elk ervan ziet ze een wenkende vinger.
'Kom, voortmaken,' zegt Fedra.
'Nog ver te gaan, en de trein wacht op ons.'

Het begin van de reis

De trein blijkt uit drie wagons te bestaan.
Het is een hyperslanke metro met
open deuren.
Zodra ze instappen, gaan de deuren dicht.
De bovenkant bestaat helemaal uit glas.
'Moeten we geen kaartjes kopen?' vraagt
Jana.
'En wie rijdt deze trein?'
Fedra kijkt haar verbaasd aan.
'Ik weet niet wat je bedoelt,' zegt ze.
'De trein rijdt naar de Rode Zone, gewoon.
Altijd zo geweest.'
De trein komt in beweging.
Jana ziet graffiti op de muren van het perron.
Grote grove letters in rode inkt.
'Jana wandelt in het park,' leest ze.
Wat een onzin, denkt ze.
Dit is een station, geen park.
De kleine trein komt uit het station.
Jana kijkt haar ogen uit.
Ze flitsen langs enorme fabrieken.
Dan langs weilanden vol groen.
Daar zijn grote machines aan het werk.

De trein duikt een tunnel in.
Eerst is alles pikdonker.
Dan wordt alles lichtblauw.
Ze rijden onder water!
De katten huiveren en maken
onrustige geluidjes.

'Vroeger was er veel water; zeeën, oceanen,'
zegt Fedra.
'Allemaal verdwenen onder Gigantopolis.
Geen boten, dus gaan we eronder.'
'Helemaal niet leuk,' mompelt Stefanie.
Tja, katten hebben een hekel aan water.
Jana vindt het wel mooi.
Kleurrijke vissen zwemmen voorbij.
Ze doen Jana aan iets denken.
Vissen in een vijver, in een park.
Ik was in dat park en ik keek naar die vissen,
denkt Jana.
Ze schudt haar hoofd.
Onzin, hier is geen park, geen vijver.
De reis duurt lang.
Ze eten wat en slapen dan.
De zitbanken zijn gelukkig zacht.
Je kunt erop liggen.
Jana heeft geen horloge, dus ook geen idee

hoeveel tijd er voorbijgaat.
Als het licht verandert, komen ze
boven water.
De trein stopt op een station.

Het groepje stapt uit en komt in een
grote straat.
De straatstenen en gebouwen zijn blauw.
'Dit is pas de Blauwe Zone,' zegt Ward.
'We zijn er nog lang niet.'
Een Oog komt wentelend op hen af.
Het blijft roerloos voor Jana hangen.
In het Oog ziet Jana een man en een vrouw.
Ze kijken bezorgd, maar zien haar blijkbaar
niet echt.
'Kom, Jana,' zegt de man, 'je kan het!'
De vrouw naast hem heeft tranen in
haar ogen.
'Die stomme vent,' zegt ze, 'hoe kan dat nu?
Het is niet rechtvaardig.'
'Mams, paps!' roept Jana.
'Ik ben hier, zie je me, hoor je me?'
'Dat zijn mijn ouders!' zegt ze tot
haar vrienden.
'Het zijn Eersten!' zegt Stefanie verbaasd.
'Mensen zoals Jana,' zegt Fedra.

'Hoe kan dat, er zijn geen Eersten meer.
Alleen de Rode Meester spreekt en kijkt
door de Ogen.'
'Maar het zijn mijn ouders,' zegt Jana.
'Ze roepen mij, ze zoeken mij, zie je!'
De beelden in het Oog vervagen.
Ervoor in de plaats verschijnt een mager
gezicht onder een rode kap.
'De Rode Meester!' huivert Fedra.
De grijze ogen kijken naar Jana.
'Jana, ik weet dat je daar bent.
Geef geen antwoord, want ik kan je niet
horen.
Het Oog werkt maar in één richting, naar jou
toe.
Kijk hiernaar, het is belangrijk.'

In het Oog verschijnt een opengeslagen
boek.
Jana leest wat daar staat:
'Jana wandelt door het park.
Zij is op weg naar haar vrienden.
Zij verlaat het park, ze is ergens anders
met haar gedachten.
De rode auto komt om de hoek, veel te snel.'
De rest van de pagina is leeg.

De Rode Meester verschijnt weer.
'De tijd dringt, Jana.
Je bent nog te ver van de Rode Zone.
Ik stuur een vervoermiddel om je op
te halen.
Vertrouw mij, wees niet bang.'
Het Oog wordt wit en fladdert weg.
De straat beeft onder hun voeten.

De Rode Zone

Grote stalen poten duiken op uit
een zijstraat.
Dan vult de Donderpoot heel de straat met
zijn logge gedaante.
Fedra en de anderen deinzen achteruit.
'Dat mag niet, het is een nachtwezen.
Dit mag overdag niet op straat komen!'
Jana moet even slikken.
Ik mag niet bang zijn, denkt ze.
Maar ik ben al bang voor een kelderspin.
Dat ding hier is wel vijf meter hoog.
De Donderpoot staat voor hen stil.
Hij buigt zijn blinde kop naar beneden.
Tot op de grond, aan Jana's voeten.
'Ik denk … dat ik vanaf hier alleen
verder moet,' zegt Jana.
'Wij gaan zeker niet mee op een
Donderpoot,' zegt Ward.
'Kom veilig terug, Jana Mens,' zegt Fedra.
'Bedankt, jullie allemaal,' zegt Jana.
'Als ik terugkom, zien we elkaar weer.'

Ze kruipt op het stalen hoofd van de
Donderpoot.
Gemakkelijk zitten is wel anders.
Zodra ze zit, richt de Donderpoot zich op.
Hij draait zich om en begint te rennen.
Jana's achterste doet al vlug pijn.
Ze heeft ooit eens een ritje gemaakt op
een paard.
Maar dit is heel andere koek.
Het stompen van de zware poten maakt
een enorm kabaal.
De lucht giert en fluit om Jana's oren.
Nooit gedacht dat zo'n groot ding zo vlug
kon gaan, denkt ze.
De Donderpoot draaft door de straten.
Soms maakt hij abrupte wendingen.
Jana moet haar best doen om in evenwicht
te blijven.
Soms ziet ze onder zich kleine wezens.
Die maken zich altijd vlug uit de voeten,
of uit de poten.
Vele uren later staat de Donderpoot
eindelijk stil.
Jana daalt af van het metalen beest.
Voor haar ligt een groot plein.
Het is geplaveid met rode stenen.

Aan weerszijden staan duizenden
grote beelden.
Half mens, half dier, in rode steen.
Jana voelt zich klein en bang tussen de
reusachtige beelden.
Ze zijn zo stil en roerloos.
En ze zien er zo levensecht uit.
Dit is dus de Rode Zone, denkt ze.
Geen huizen, geen straten, alleen dit
enorme plein.
Verder weg voor haar ziet ze het einde
van het plein.
Daar staat een kolossale troon.
Op die troon zit een man met een
rode mantel.
De Rode Meester.

De levende troon

Jana wandelt over het plein en blijft staan
voor de troon.
De troon lijkt op een boek dat open staat.
Daarin zit de Rode Meester.
Door de grote, rode kap is maar een deel
van zijn gezicht te zien.
De man ziet er oud en moe uit.
Zijn ogen kijken flets door de dikke, ronde
glazen van zijn bril.
Hij heeft een verband om zijn hoofd.
Als hij spreekt, ziet Jana dat hij enkele
tanden mist.
'Daar ben je dan eindelijk, Jana,' zegt hij.
'Ik vreesde al dat je het niet zou halen.
We moeten vlug zijn, straks wordt
hij wakker.'
'Wie wordt straks wakker?
Ik zie alleen jou.
Jij bent toch de Rode Meester?'
De man grijnst, speeksel druppelt op
zijn kin.
'Ja, op mijn manier ben ik de Rode Meester.
En toch weer niet, Jana.

Mijn echte naam is Damien Deroo.
Maar natuurlijk heb je nooit van
mij gehoord.'
'Dat interesseert me niet,' zegt Jana.
'Ik zag mijn ouders en vrienden.
In die vliegende schermen, jouw Ogen.
Waar zijn ze, waar ben ik hier?
Wat gebeurt er toch met mij?'
'Ik probeerde je door de Ogen terug
te halen,' zegt de man.
'Maar dat lukte mij niet.
Je moest zelf naar mij toe komen.
Dit is je enige en laatste kans, Jana.
Herinner je je helemaal niets?
Die middag in het park, en daarna?
De rode auto die op je afkwam.
Je keek niet op, je zag mij niet.'
Jana schudt haar hoofd.
Het duizelt haar even.
Als een rode bliksem die door haar
hoofd schiet.
Of een rode auto die op haar afkomt.
'Ik was in het park,' zegt ze.
'Ik had naar de vissen gekeken en ging
naar buiten …'
'En toen gebeurde het,' zegt de man.

'Ik reed je aan met mijn auto.
Jouw geest en de mijne raakten verward
in elkaar.
Zonder dat ik dat wilde, bracht ik je mee.
Hierheen, naar mijn Gigantopolis.
Ik moet je terugbrengen naar je eigen
wereld.
Heel vlug, voor hij ontwaakt.
Ik ben ziek, ik ga straks dood.
Als ik doodga, sterft Gigantopolis met mij.
Dat wil hij niet, hij wil jou.
Met jouw leven en kracht kan hij
zelf overleven.'

'Ik begrijp hier niets van,' zegt Jana.
'Voor hij ontwaakt?
Wie is die hij en waarom wil hij mij?'
'Hij is de ware Rode Meester, Jana.
Ik heb hem geschapen met Gigantopolis.
In mijn geest, in een boek dat ik schreef.
Het heet Gigantopolis.
Na het ongeval vluchtte ik weg in mijn
eigen geest.
Ik vluchtte weg voor de pijn in mijn boek.
Zonder dat ik het wist, nam ik jou mee.'
Damien staat op.

De troon achter hem beweegt, komt tot
leven.
Als een boek dat verandert in een
groot beest.
De bladzijden ontvouwen zich.
Ze worden tentakels die Damien strelen.
Damien zet een stap naar beneden.
'Gigantopolis wil niet sterven met mij,' zegt
hij.
'Ik wil ook niet doodgaan, maar ik heb geen
keuze.
Mijn lichaam is te erg gewond door het
ongeval.
Dit is allemaal mijn fout.
Ik heb je aangereden en daarbij heb ik je
geest meegesleurd.
Ik had zo hard aan mijn boek gewerkt.
Ik wilde het zo snel mogelijk naar mijn
uitgever brengen.
Ik was zo gehaast, ik reed veel te snel.
Je kwam uit het park en keek niet op.
Ik probeerde je te ontwijken.
Ik gooide het stuur om, maar ik raakte
je toch.
Je werd over mijn auto geslingerd, op
de straatstenen.

Mijn wagen was even stuurloos en knalde
tegen het hek.
Ik sloeg met mijn hoofd tegen het stuur.
Ik had mijn gordel niet om, zo stom.
Ik kwam even bij bewustzijn en voelde
je pijn.
Mijn geest reikte uit naar jou.
Zo nam ik je mee, naar Gigantopolis.
Nu moet ik ons scheiden voor deze
wereld instort.'

Damien zet nog twee stappen naar beneden.
Achter hem opent de levende troon een
mond en krijst.
Een mond vol scherpe tanden.
Daarboven een scherpe neus en koude ogen.
De levende troon is de ware Rode Meester.
Jana herkent dat tweede gezicht.
Die akelige metaalstem.
'Ik ga niet dood!' krijst de Rode Meester.
'Je hebt mij geschapen, Damien, maar je
maakt mij niet dood.'
De troon omwikkelt Damien met zijn
tentakels.
Aan de Rode Meester groeien grote vleugels.
Met scherpe klauwen scheurt hij de rode

mantel van Damien.

Nu ziet Jana dat Damien zelf vastzit aan
de troon.

Zijn rug en schouders zijn ermee vergroeid.

De troon, de Rode Meester, en Damien zijn
één levend wezen.

Het gezicht van de Rode Meester komt uit
de troon.

Het zit op een heel lange nek.

Het hoofd van de Rode Meester bijt zich
vast in Damiens schouder.

'Jij blijft hier, voor altijd,' brult de
Rode Meester.

'Misschien, maar dit meisje niet,' roept
Damien.

Hij ploft zijn rechtervuist op de neus van
de Rode Meester.

Het hoofd laat zijn greep los.

Damien steekt beide handen uit.

'Nu, Jana, nu of nooit!' roept hij.

Jana springt naar voren.

Ze grijpt Damiens handen.

Ze zijn zo koud, zo ijzig koud!

De rode mantel slingert zich om haar heen.

Als een levend verstikkend monster.

Ze ziet alleen nog maar rood.
Ze kan niet meer ademen.
Dan, in een flits, ziet ze de rode auto.
Hij komt uit de rode waas als een spook.
Recht op haar af.
Ze ziet het gezicht van de man aan het stuur.
De opengesperde ogen, het ronde brilletje.
De auto raakt haar.
Jana wordt omhoog geslingerd.
Ze valt en valt in een rode wolk.
Dan is er duisternis.

Het boek

Jana opent haar ogen.
Ze knippert in het felle witte licht.
Ogen, vele Ogen, denkt ze even.
Maar het zijn gewoon ronde lampen.
'Jana, je bent wakker!'
Mams en paps staan aan haar zijde.
Mams probeert Jana's hand tot moes
te knijpen.
Paps wrijft in zijn ogen.
Achter hen ziet ze Niels en Jolien.
Ze kijken erg bezorgd, maar blij.
Jana kijkt rond.
Het bed waarin ze ligt is wit.
De muren van de kamer zijn groen.
Aan die muren hangen schilderijen.
Blauw, met vissen.
Heel haar lichaam doet pijn.
Draden zitten vast aan haar armen en benen.
Ze zijn verbonden met medische toestellen.
Een ziekenbed, denkt ze.
Ik lig in een ziekenhuis.

Dan komen alle herinneringen terug.

'Je werd aangereden,' zegt paps.
'Door een kerel in een rode auto.'
'Die veel te snel reed,' zegt mams kwaad.
'Bestuurd door Damien Deroo,' zegt
Jana dromerig.
'Een schrijver die zo dringend zijn boek
wilde inleveren.
Hoe lang is dit geleden?'
'Je hebt twee dagen in coma gelegen,' zegt
paps.
'Heel wat kneuzingen en een gebroken been.
Maar dat geneest wel.
De dokters vreesden even voor je leven.
Maar nu ben je weer bij ons.'
'En die man? De Rode … nee, Damien
Deroo?'
Paps schudt zijn hoofd.
'Hij kwam even bij na het ongeval.
Hij is in coma, maar zo nu en dan komt hij
even bij bewustzijn.
Heel vreemd, hij vroeg naar je.
Hij noemde zelfs je naam.'

Een verpleegster komt binnen.
Paps kijkt op.
Ze schudt haar hoofd.

'Het spijt me, hij is daarnet overleden,' zegt
ze.
'Hij kwam bij bewustzijn, en toen ineens …
Hij vroeg me dit aan Jana te geven.'
Jana kijkt naar het dikke pak in bruin papier.
'Ik weet wat het is,' zegt ze.
'Ik was daar, in zijn Gigantopolis.'
'Wat bedoel je?
Je hebt al die tijd hier gelegen.
In dit bed, je was bewusteloos.'
'Ja, dat weet ik nu,' zegt Jana.
'Maar ik was ook dààr, in zijn wereld.
Het ongeval was ook mijn schuld.
Ik keek niet waar ik liep.
Hij had kunnen blijven leven
in Gigantopolis.
Maar hij offerde zich op voor mij.
Om mij terug te brengen.'
Ze raakt het pak aan.
Het is alsof ze daarin iets voelt leven.
'Dit boek was zijn leven,' zegt ze.
'Paps, je moet het naar het adres brengen
dat erop staat.
Het boek heet Gigantopolis.
Het moet uitgegeven worden.

Dat ben ik verschuldigd aan Damien.
En aan Fedra en Ward en Tim, en al die
andere wezens.'
Paps krabt in zijn haar.
'Ik snap niet wat je bedoelt, Jana,' zegt hij.
Jana glimlacht.
'Ik ben moe, nu moet ik rusten.
Maar daarna vertel ik het jullie allemaal.'